Key to

C000068343

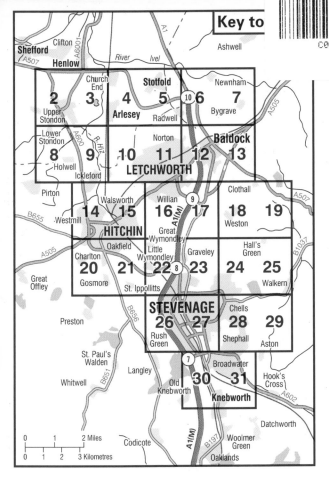

A map index grid showing the following areas and grid squares:

Shefford, Clifton, Ashwell, Church End, Stotfold, Newnham, Upper Stondon, Arlesey, Radwell, Bygrave, Lower Stondon, Holwell, Ickleford, Norton, Baldock, LETCHWORTH, Pirton, Walsworth, Willian, Clothall, Weston, Westmill, HITCHIN, Great Wymondley, Oakfield, Little Wymondley, Graveley, Hall's Green, Charlton, Gosmore, St. Ippollitts, Walkern, Great Offley, Preston, STEVENAGE, Chells, Shephall, Aston, Rush Green, St. Paul's Walden, Whitwell, Langley, Old Knebworth, Broadwater, Hook's Cross, Knebworth, Datchworth, Codicote, Woolmer Green, Oaklands.

Grid squares numbered: 2, 3, 4, 5, 6, 7, 8, 9, 10, 11, 12, 13, 14, 15, 16, 17, 18, 19, 20, 21, 22, 23, 24, 25, 26, 27, 28, 29, 30, 31

Rivers: River Ivel, R. Hiz

Roads: A1, A6001, A600, A505, A507, A1(M), A602, B655, B656, B651, B197, B1037

Scale:
0   1   2 Miles
0   1   2   3 Kilometres

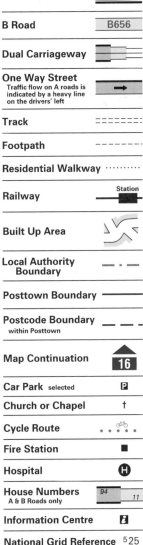

Legend (Key to Map Symbols):

B Road	B656
Dual Carriageway	
One Way Street — Traffic flow on A roads is indicated by a heavy line on the drivers' left	→
Track	
Footpath	
Residential Walkway	
Railway	Station
Built Up Area	
Local Authority Boundary	
Posttown Boundary	
Postcode Boundary within Posttown	
Map Continuation	16
Car Park selected	P
Church or Chapel	†
Cycle Route	
Fire Station	■
Hospital	H
House Numbers A & B Roads only	94 / 11
Information Centre	i
National Grid Reference	525
Police Station	▲
Post Office	★
Toilet	▽
with Facilities for the Disabled	♿

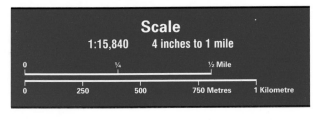

Scale

1:15,840   4 inches to 1 mile

0   ¼   ½ Mile

0   250   500   750 Metres   1 Kilometre

Copyright of Geographers' A-Z Map Company Limited

Head Office : Fairfield Road, Borough Green, Sevenoaks, Kent TN15 8PP Tel: 01732 781000
Showrooms : 44 Gray's Inn Road, London WC1X 8HX Tel: 0171 242 9246

The Maps in this Atlas are based upon the Ordnance Survey mapping
with the permission of the Controller of Her Majesty's Stationery Office

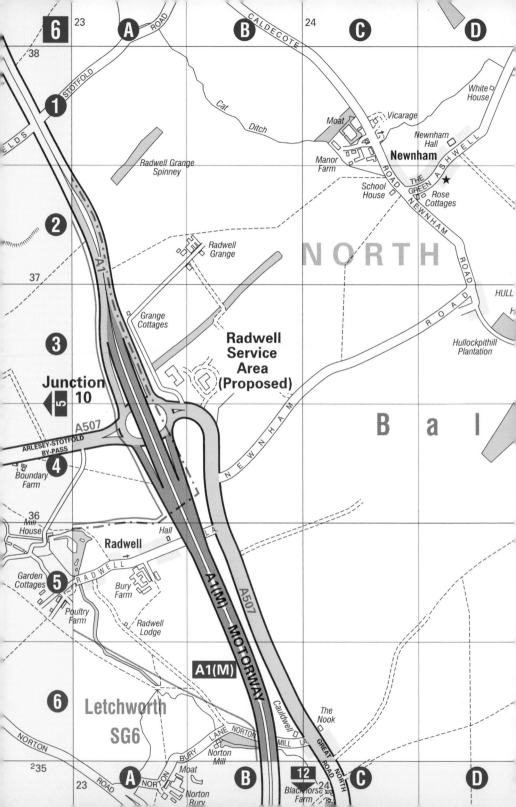

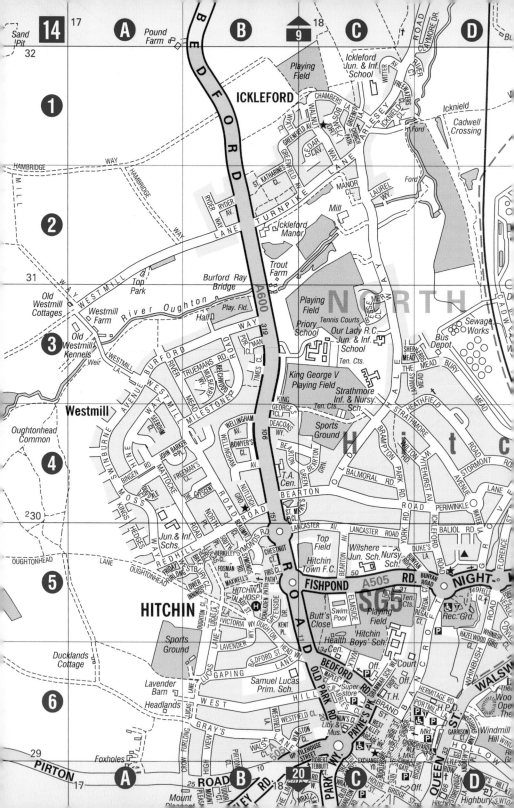

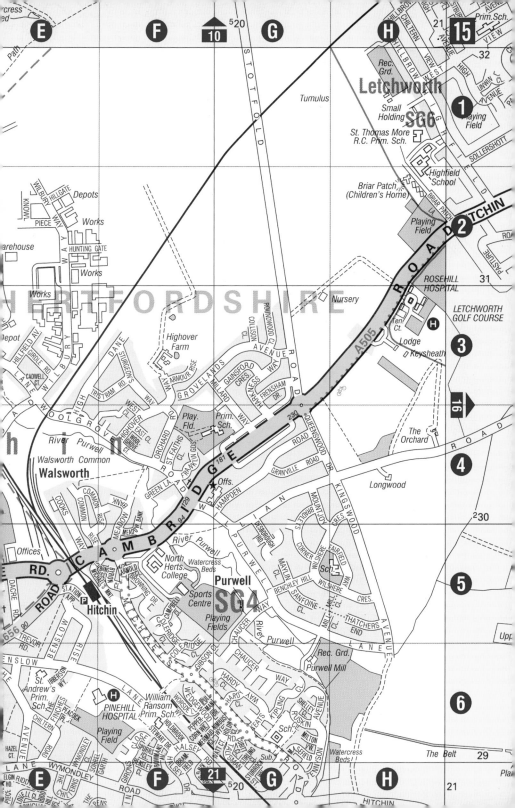

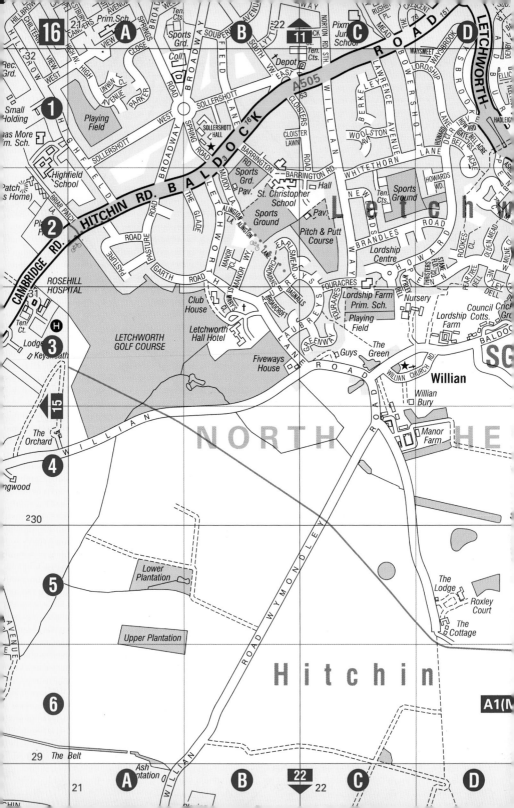

A

B

C

D

13 26

32

1

BY-PASS (PROPOSED)

BALDOCK

HATCH

2

31

ASHANGER HILL **Clot**

Hickman's Hill

Green Grove

Bush Wood

ASHANG

3

nnock ttages

Weston Windmill (disused)

HITCHIN **17**

Lanno Manor Farm

NORTH

Green End

Darnall's Hall Farm

Water Tower

HE

Hit

LANE

Old Farm

STREET

MILL LANE

4

THE SNIPE ROAD

THE FRIARS

WESTON

FORE STREET

Horseshoe Farm

STREET

Oakley's Farm

Weston Bury

Weston End

Church

B

²30

Town Farm

MAIDEN ROAD

Works

MINTS MEADOW

Hall Manor House

Weston Jun. & Inf. Sch.

SCHOOL

Recreation Ground

Vicarage

Cowmead

CHURCH LANE

Glebe Cottage

MARLBOROUGH CL.

WOODLANDS MEAD

ROWAN CL.

DAMASK GREEN ROAD

K CL.

Pond

SG4

5

Damask Green

Cricket Ground

Pav.

Park Lodge

Top Plantation

Weston Park

Bottom Plantation

6

Park Wood

Warrensgreen Farm

29

5019

A

B

24 26

C

Bonfield's Lower

D

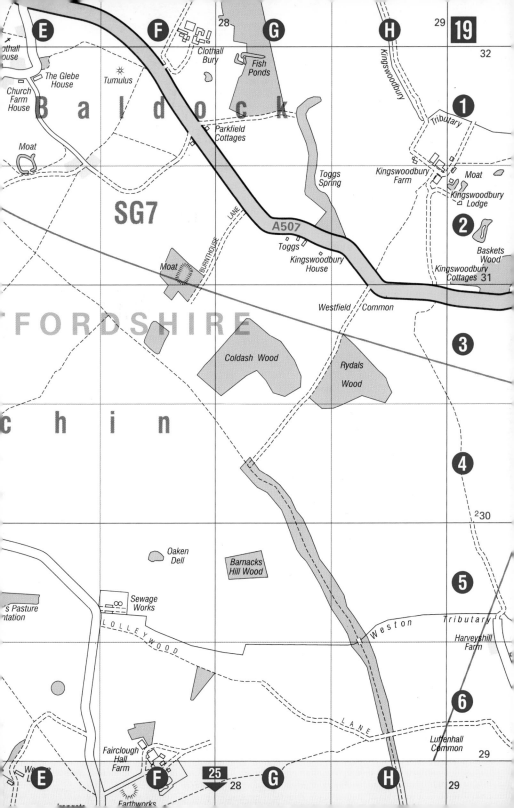

E **F** 28 **G** **H** 29 32

Clothall ouse

Clothall Bury

Fish Ponds

B a l d o c k

The Glebe House

Church Farm House

Tumulus

Parkfield Cottages

Kingswoodbury

Tributary

1

Kingswoodbury Farm

Moat

Kingswoodbury Lodge

Moat

Toggs Spring

SG7

2

BURNTHOUSE LANE

A507

Toggs

Kingswoodbury House

Baskets Wood

Moat

Kingswoodbury Cottages 31

t F O R D S H I R E

Westfield Common

3

Coldash Wood

Rydals Wood

c h i n

4

230

Oaken Dell

Barnacks Hill Wood

5

's Pasture ntation

Sewage Works

LOLLEYWOOD

Weston Tributary

Harveyshill Farm

6

LANE

Fairclough Hall Farm

Luffenhall Common 29

We E

E **F** 25 28 **G** **H** 29

Earthworks

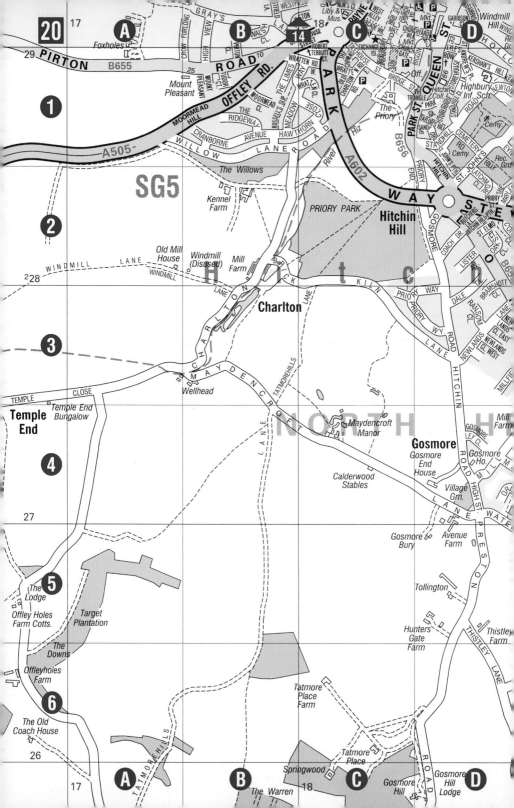

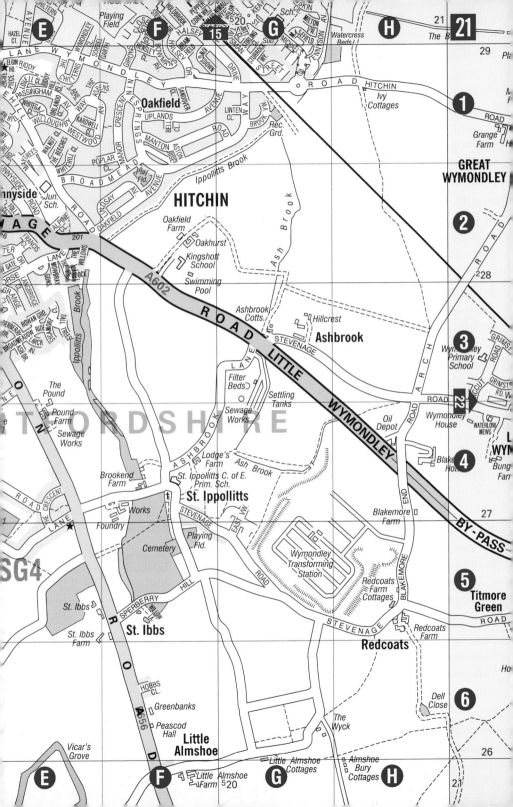

Fairclough
Hall
Farm

Weston
Lodge

Irongate
Farm

Earthworks

Fontley

Hall's Green

Irongate
Cottage

Donkey
Hall

Fontley
Lodge

1 Whitehall
    Farm

Walnut Tree
Farm

Poultry
Houses

H E R T F O R D S H I R E

herwells

Howells
Farm

Hick's Grove
Cottages

Hick's
Grove

2

228

Howell's
Wood

Sloggar's
Wood

3

Dane
End

The
Warren

Sheepleys
Spring

Wychelms
Spring

Jack Pallett's
Spring

CHURCHEND COMMON
SG2

4 The
   Bungalow
   27

The Old
Rectory

WHITE HILL

E A S T   H E R T F O R D S H I R E

Boxbury
Farm

Manor
Farm

DOVEHOUSE LANE

BEECROFT LA.

5 Ford

CHURCH
END

STREET

Bridgefoot
Farm

KITCHENERS LA.

WINTERS LA.

BOCKINGS

FROGHALL LANE
FROGHALL

Nursery

BROCKWELL SHOTT

HIGH   B1037   104   68   59   32   107

TOTS LA.

6

n a g e

Boxwood
Lodge

Boxbury Farm
Cottage

MOORS LEY

AUBRIES

WENHAM CT.

CHERRY TREE RIDE

Finche's End
Rooks Nest

Finches
Farm

Walkern   26

★

E V E N A G E

Box Wood

60

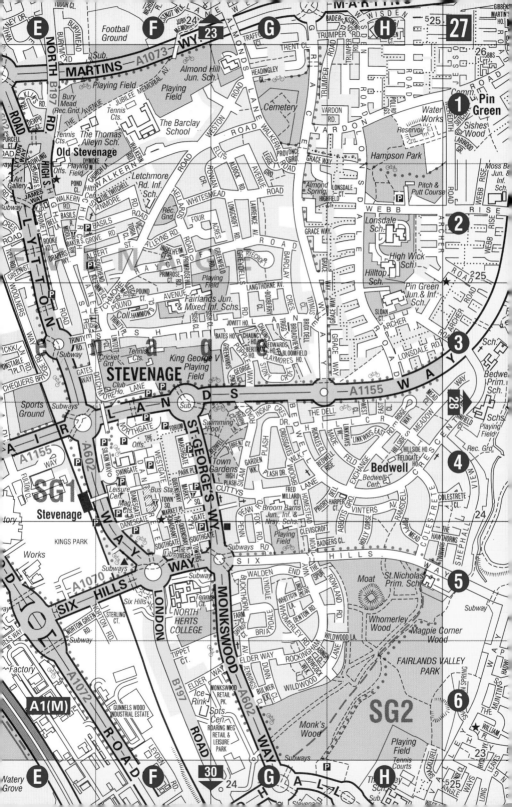

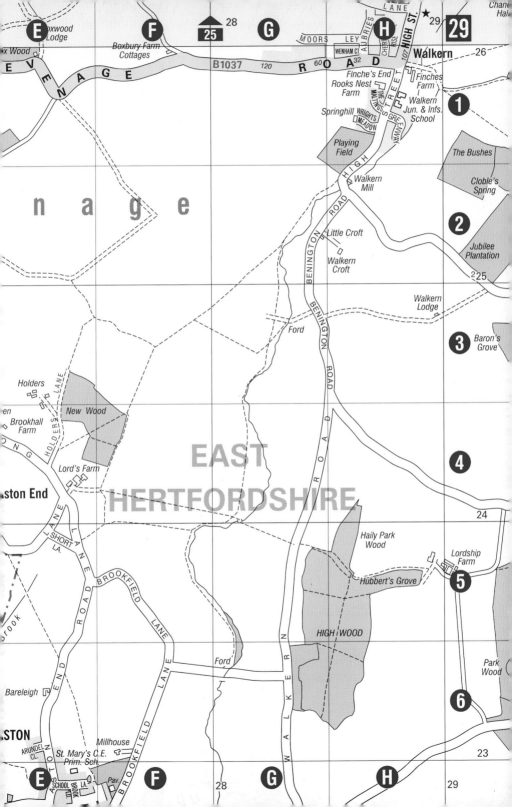

INDEX TO STREETS

HOW TO USE THIS INDEX

1. Each street name is followed by its Posttown or Postal Locality and then by its map reference; e.g. Abbotts Rd. *Let* —5D **10** is in the Letchworth Posttown and is to be found in square 5D on page **10**. The page number being shown in bold type. A strict alphabetical order is followed in which Av., Rd., St., etc. (though abbreviated) are read in full and as part of the street name; e.g. Ashleigh appears after Ash Dri. but before Ashton's La.

2. Streets and a selection of Subsidiary names not shown on the Maps, appear in the index in *Italics* with the thoroughfare to which it is connected shown in brackets; e.g. *Appletrees. Hit —1C* **20** *(off Wratten Rd. W.)*

GENERAL ABBREVIATIONS

All : Alley
App : Approach
Arc : Arcade
Av : Avenue
Bk : Back
Boulevd : Boulevard
Bri : Bridge
B'way : Broadway
Bldgs : Buildings
Bus : Business
Cvn : Caravan
Cen : Centre
Chu : Church
Chyd : Churchyard
Circ : Circle

Cir : Circus
Clo : Close
Comn : Common
Cotts : Cottages
Ct : Court
Cres : Crescent
Dri : Drive
E : East
Embkmt : Embankment
Est : Estate
Gdns : Gardens
Ga : Gate
Gt : Great
Grn : Green
Gro : Grove

Ho : House
Ind : Industrial
Junct : Junction
La : Lane
Lit : Little
Lwr : Lower
Mnr : Manor
Mans : Mansions
Mkt : Market
M : Mews
Mt : Mount
N : North
Pal : Palace
Pde : Parade
Pk : Park

Pas : Passage
Pl : Place
Quad : Quadrant
Rd : Road
S : South
Sq : Square
Sta : Station
St : Street
Ter : Terrace
Trad : Trading
Up : Upper
Vs : Villas
Wlk : Walk
W : West
Yd : Yard

POSTTOWN AND POSTAL LOCALITY ABBREVIATIONS

Ard : Ardeley
Arl : Arlesey
Ast : Aston
Ast E : Aston End
Bald : Baldock
B'tn : Benington
Byg : Bygrave
Clot : Clothall
Clot C : Clothall Common
Cro : Cromer

D'wth : Datchworth
Gos : Gosmore
G'ley : Graveley
Gt Wym : Great Wymondley
Henl : Henlow
Hinx : Hinxworth
Hit : Hitchin
Hol : Holwell
Ickl : Ickleford
Kneb : Knebworth

Let : Letchworth
L Wym : Little Wymondley
L Ston : Lower Stondon
Newn : Newnham
Odsey : Odsey
Old K : Old Knebworth
Pir : Pirton
Radw : Radwell
St I : St Ippolyts
Shef : Shefford

Stev : Stevenage
Stot : Stotfold
Up Ston : Upper Stondon
Walk : Walkern
W'ton : Weston
W'ian : Willian
Will : Willingale

INDEX TO STREETS

Abbs Orchard. *Ickl* —6G **9**
Abbots Gro. *Stev* —5H **27**
Abbotts Rd. *Let* —5D **10**
Abinger Clo. *Stev* —6G **27**
Acre Piece. *Hit* —1E **21**
Aintree Way. *Stev* —1C **28**
Alban Rd. *Let* —2E **17**
Albert Rd. *Arl* —5A **4**
Albert St. *Stev* —2E **27**
Aldeburgh Clo. *Stev* —6C **22**
Alder Clo. *Bald* —4C **12**
Aldock Rd. *Stev* —2G **27**
Alexander Ga. *Stev* —1C **28**
Alexander Rd. *Stot* —3F **5**
Alexandra Rd. *Hit* —4D **14**
Aleyn Way. *Bald* —3F **13**
Alington La. *Let* —2B **16**
Alleyns Rd. *Stev* —2F **27**
Allison. *Let* —6A **12**
Almonds La. *Stev* —6G **23**
Alpine Clo. *Hit* —2E **21**
Alton Rd. *Henl* —5C **2**
Amor Way. *Let* —5H **11**
Anchor Rd. *Bald* —4D **12**
Anderson Rd. *Stev* —3D **28**
Angle Ways. *Stev* —1E **31**
Angotts Mead. *Stev* —3D **26**
Ansell Ct. *Stev* —6D **22**
Apollo Way. *Stev* —1C **28**
Applecroft. *L Ston* —6D **2**
Appletrees. Hit —1C **20**
(off Wratten Rd. W.)

Arcade, The. *Let* —5F **11**
Arcade Wlk. *Hit* —6C **14**
Archer Rd. *Stev* —3H **27**
Archers Way. *Let* —5D **10**
Arches, The. *Let* —4G **11**
Arch Rd. *Gt Wym* —3H **21**
Arden Press Way. *Let* —5H **11**
Arena Pde. *Let* —5F **11**
Argyle Way. *Stev* —4D **26**
Arlesey Rd. *Arl & Stot* —2D **4**
Arlesey Rd. *Henl & Arl* —2F **3**
  (in two parts)
Arlesey Rd. *Ickl* —2C **14**
Arlesey-Stotfold By-Pass. *Arl*
  —1A **4**
Armour Rise. *Hit* —3F **15**
Arnold Clo. *Hit* —5F **15**
Arnold Clo. *Stev* —5F **23**
Arthur Gibbens Ct. *Stev* —6A **24**
Arundel Clo. *Ast* —6E **29**
Arwood M. *Bald* —3D **12**
Ascot Cres. *Stev* —6B **24**
Ascot Ind. Est. *Let* —4H **11**
Ashanger La. *Clot* —1D **18**
Ashbourne Clo. *Let* —2D **16**
Ashbrook La. *St I* —4F **21**
Ashburnham Wlk. *Stev* —2D **30**
Ashdown. *Let* —2E **11**
Ashdown Rd. *Stev* —4F **31**
Ash Dri. *St I* —3E **21**
Ashleigh. *Stev* —5B **28**
Ashton's La. *Bald* —5D **12**

Ashville Way. *Bald* —2E **13**
Ashwell. *Stev* —5E **23**
  (off Coreys Mill La.)
Ashwell Clo. *Stev* —3D **22**
Ashwell Comn. *G'ley* —3D **22**
Ashwell Rd. *Bald & Byg*
  —1F **13**
Ashwell Rd. *Newn* —1D **6**
Aspen Clo. *Stev* —4F **31**
Aspens, The. *Hit* —1E **21**
Asquith Ct. *Stev* —4G **31**
Aston Clo. *Stev* —5E **23**
  (off Coreys Mill La.)
Aston End Rd. *Ast* —6E **29**
Aston La. *Stev* —4H **31**
Aston Rise. *Hit* —1F **21**
Astral Clo. *Henl* —6C **2**
Astwick Rd. *Stot* —1F **5**
Aubreys. *Let* —3B **16**
Aubries. *Walk* —1H **29**
Augustus Ga. *Stev* —1D **28**
Austen Paths. *Stev* —3C **28**
Aveley La. *Hit* —2C **22**
Avenue One. *Let* —4A **12**
Avenue, The. *Hit* —6E **15**
Avenue, The. *Stev* —1E **27**
Avenue, The. *Stot* —3F **5**
Avocet. *Let* —2E **11**
Avon Chase. *Henl* —5E **3**
Avon Rd. *Henl* —5E **3**
Aylward Dri. *Stev* —5B **28**
Ayr Clo. *Stev* —1C **28**

Babbage Rd. *Stev* —4C **26**
Back La. *Let* —5B **12**
Baddeley Clo. *Stev* —1F **31**
Bader Clo. *Stev* —6H **23**
Badger Clo. *Kneb* —5D **30**
Badgers Clo. *Stev* —5G **27**
Badminton Clo. *Stev* —4F **31**
Baker Av. *Stot* —3F **5**
Baker St. *Stev* —2E **27**
Baldock La. *W'ian* —3D **16**
Baldock Rd. *Let* —2B **16**
Baldock Rd. *Stot* —4G **5**
Baliol Rd. *Hit* —5D **14**
Balmoral Clo. *Stev* —4G **31**
Balmoral Rd. *Hit* —4C **14**
Bancroft. *Hit* —6D **14**
Bandley Rise. *Stev* —6C **28**
Barclay Cres. *Stev* —2G **27**
Barham Rd. *Stev* —4C **28**
Barleycroft. *Stev* —6C **28**
Barley Rise. *Bald* —3F **13**
Barndell Clo. *Stot* —3F **5**
Barnwell. *Stev* —6B **28**
Baron Ct. *Stev* —6D **22**
Barrington Rd. *Let* —1B **16**
Basils Rd. *Stev* —2E **27**
Bates Ho. *Stev* —3G **27**
Bawdsey Clo. *Stev* —1D **26**
Bayworth. *Let* —6H **11**
Beale Clo. *Stev* —3C **28**
Beane Av. *Stev* —3D **28**
Beane Wlk. *Stev* —3D **28**

Bearton Av. *Hit* —5C **14**
Bearton Grn. *Hit* —4B **14**
Bearton Rd. *Hit* —4B **14**
Beaumont Clo. *Hit* —5B **14**
Bedford Ho. *Stev* —3D **26**
Bedford Rd. *Hol* —4F **9**
Bedford Rd. *Let* —4D **10**
Bedford Rd. *L Ston* —3B **2**
Bedford St. *Hit* —6B **14**
Bedwell Cres. *Stev* —4G **27**
Bedwell La. *Stev* —4G **27**
Bedwell Rise. *Stev* —4G **27**
Beech Dri. *Stev* —6B **28**
Beeches, The. *Hit* —1E **21**
Beech Hill. *Let* —4D **10**
Beech Ridge. *Bald* —5D **12**
Beechwood Clo. *Bald* —6D **12**
Beechwood Clo. *Hit* —3B **14**
Beecroft La. *Walk* —5H **25**
Bell Acre. *Let* —1D **16**
Bell Acre Gdns. *Let* —1D **16**
Bell Clo. *Hit* —1F **21**
Bell Clo. *Kneb* —6E **31**
Bell La. *Stev* —2E **27**
Benchley Hill. *Hit* —5G **15**
Benington Rd. *Ast* —1H **31**
Benington Rd. *Qalk* —2G **29**
Bennett Ct. *Let* —6G **11**
Benslow La. *Hit* —6E **15**
Benslow Rise. *Hit* —6E **15**
Benstede. *Stev* —3G **31**
Berkeley. *Let* —1C **16**
Berkeley Clo. *Hit* —5B **14**
Berkeley Clo. *Stev* —3E **31**
Bernhardt Cres. *Stev* —3C **28**
Bertram Ho. *Stev* —3G **27**
Bessemer Clo. *Hit* —3C **14**
Bessemer Dri. *Stev* —5D **26**
Beverley Rd. *Stev* —5B **24**
Bidwell Clo. *Let* —6H **11**
Biggin La. *Hit* —1D **20**
Bilton Rd. *Hit* —3D **14**
Bingen Rd. *Hit* —4A **14**
Birches, The. *Let* —3E **11**
Birds Hill. *Let* —5G **11**
Bittern Clo. *Stev* —1H **31**
Bittern Way. *Let* —2E **11**
Blackberry Mead. *Stev* —6D **28**
Blackhorse La. *Hit* —3D **20**
Blackhorse Rd. *Let* —3A **12**
Blackmore. *Let* —2D **16**
Bladon Clo. *L Wym* —4B **22**
Blair Clo. *Stev* —2D **30**
Blakemore End Rd. *Hit* —5H **21**
Blakeney Ho. *Stev* —2C **26**
Blakeney Rd. *Stev* —2C **26**
Blenheim Way. *Stev* —4G **31**
Bloomfield Ho. *Stev* —3G **27**
Blyth Clo. *Stev* —2C **26**
Bockings. *Stev* —4G **27**
Borton Av. *Henl* —5D **2**
Boscombe Ct. *Let* —5H **11**
Boswell Dri. *Ickl* —1C **14**
Boswell Gdns. *Stev* —6F **23**
Boulton Rd. *Stev* —5C **24**
Bournemouth Rd. *Stev* —1D **26**
Bowcock Wlk. *Stev* —6G **27**
Bowershott. *Let* —1C **16**
Bowling Grn. *Stev* —2E **27**
Bowmans Av. *Hit* —6F **15**
Bowman Trading Est. *Stev*
    —4D **26**
Bowyer's Clo. *Hit* —4B **14**

Boxberry Clo. *Stev* —3G **27**
Boxfield Grn. *Stev* —1D **28**
Bradleys Corner. *Hit* —4G **15**
Bradman Way. *Stev* —6A **24**
Bradshaw Ct. *Stev* —6B **28**
Braemar Clo. *Stev* —4F **31**
Bragbury Clo. *Stev* —4H **31**
Bragbury La. *D'wth* —6G **31**
Braham Ct. *Hit* —6C **14**
    (off Nun's Clo.)
Brambles, The. *Stev* —5F **23**
Bramfield. *Hit* —1F **21**
Bramley Clo. *Bald* —2D **12**
Brampton Pk. Rd. *Hit* —4C **14**
Bramshott Clo. *Hit* —3D **20**
Brandles Rd. *Let* —2C **16**
Brand St. *Hit* —6C **14**
Brayes Mnr. *Stot* —3F **5**
Breakspear. *Stev* —6C **28**
Brent Ct. *Stev* —4G **27**
Brewery La. *Bald* —2C **12**
Briardale. *Stev* —5G **27**
Briar Patch La. *Let* —2H **15**
Brick Kiln La. *Hit* —2B **20**
Brickkiln Rd. *Stev* —3E **27**
Bridge Rd. *Let* —5F **11**
Bridge Rd. *Stev* —3D **26**
Bridge St. *Hit* —1C **20**
Brighton Way. *Stev* —1C **26**
Brittains Rise. *L Ston* —1A **8**
Brittain Way. *Stev* —5B **28**
Brixham Clo. *Stev* —2D **26**
Broadcroft. *Let* —3B **16**
Broadhall Way. *Stev* —1B **30**
Broadmead. *Hit* —2E **21**
Broadmeadow Ride. *St I* —3E **21**
Broad Oak Way. *Stev* —1D **30**
Broadview. *Stev* —3G **27**
Broadwater. *Stev* —2F **31**
Broadwater Av. *Let* —6E **11**
Broadwater Cres. *Stev* —1D **30**
Broadwater Dale. *Let* —6E **11**
Broadwater La. *Ast* —2G **31**
    (in two parts)
Broadway. *Let* —1A **16**
Brockwell Shott. *Walk* —6H **25**
Bronte Paths. *Stev* —3C **28**
Brook Dri. *Stev* —3F **31**
Brook Field. *Ast* —6E **29**
Brookfield La. *Ast* —6E **29**
Brookhill. *Stev* —3D **30**
Brookside. *Let* —6F **11**
Brook St. *Stot* —3E **5**
Brook View. *Hit* —1G **21**
Broom Gro. *Kneb* —6D **30**
Broom Wlk. *Stev* —4G **27**
Broughton Hill. *Let* —5G **11**
Browning Dri. *Hit* —5F **15**
Brox Dell. *Stev* —3G **27**
Brunel Rd. *Stev* —2A **28**
Bucklersbury. *Hit* —1C **20**
Buckthorn Av. *Stev* —5G **27**
Bude Cres. *Stev* —2C **26**
Bulwer Link. *Stev* —6G **27**
Bunyan Clo. *Pir* —6A **8**
Bunyan Rd. *Hit* —5C **14**
Burford Way. *Hit* —3A **14**
Burghley Clo. *Stev* —3E **31**
Burley. *Let* —2F **11**
Burnell Rise. *Let* —6D **10**
Burnell Wlk. *Let* —6E **11**
Burnett Av. *Henl* —5D **2**
Burns Clo. *Hit* —5F **15**

Burns Clo. *Stev* —1C **28**
Burnthouse La. *Bald* —2F **19**
Bursland. *Let* —5D **10**
Burwell Rd. *Stev* —5B **28**
Burydale. *Stev* —2F **31**
Bury Mead. *Arl* —2A **4**
Burymead. *Stev* —6E **23**
Bury Mead Rd. *Hit* —3D **14**
Bush Spring. *Bald* —2E **13**
Business Cen. E. *Let* —5A **12**
Business Cen. W. *Let* —5A **12**
Butchers La. *Hit* —2D **20**
Bygrave Rd. *Bald* —2D **12**
Byrd Wlk. *Bald* —4D **12**
Byron Clo. *Hit* —5F **15**
Byron Clo. *Stev* —2C **28**

C

Cabot Clo. *Stev* —2A **28**
Cade Clo. *Let* —2A **12**
Cadwell Ct. *Hit* —3E **15**
Cadwell La. *Hit* —3D **14**
Caernarvon Clo. *Stev* —4F **31**
Caister Clo. *Stev* —6C **22**
Caldecote Rd. *Newn* —1B **6**
California. *Bald* —2D **12**
Campbell Clo. *Hit* —5F **15**
Campers Av. *Let* —6E **11**
Campers Rd. *Let* —6D **10**
Campers Wlk. *Let* —6E **11**
Campfield Way. *Let* —6D **10**
Campion Ct. *Stev* —1E **27**
Campkin Mead. *Stev* —6D **28**
Campshill La. *Stev* —3A **28**
Campus One. *Let* —4A **12**
Cannix Clo. *Stev* —1E **31**
Canterbury Way. *Stev* —6G **23**
Cardiff Clo. *Stev* —4F **31**
Carters Clo. *Arl* —2A **4**
Carters Clo. *Stev* —5D **28**
Carters Wlk. *Arl* —2A **4**
Carters Way. *Arl* —2A **4**
Cartwright Rd. *Stev* —5C **24**
Cashio La. *Let* —2G **11**
Caslon Way. *Let* —2F **11**
Castles Clo. *Stot* —1F **5**
Cavalier Ct. *Stev* —6D **22**
    (off Ingleside Dri.)
Cavell Wlk. *Stev* —4C **28**
Cavendish Rd. *Stev* —4C **26**
Caxton Way. *Stev* —5D **26**
Cedar Av. *Ickl* —1C **14**
Cemetery Rd. *Hit* —1D **20**
Central Av. *Henl* —6D **2**
Chace, The. *Stev* —2D **30**
Chadwell Rd. *Stev* —5D **26**
Chagney Clo. *Let* —5E **11**
Chalkden Path. *Hit* —5B **14**
Chalkdown. *Stev* —2D **28**
Chalk Field. *Let* —2E **17**
Chalk Hills. *Bald* —6D **12**
Chambers La. *Ickl* —1C **14**
Chancellors Rd. *Stev* —6E **23**
Chantree M. *Let* —1E **17**
Chantree Rd. *Hit* —6C **14**
Chantry La. *Hit* —5B **22**
Chaomans. *Let* —2B **16**
Chapel Pl. *Stot* —4F **5**
Chapel Row. *Hit* —5D **14**
    (off Whinbush Rd.)
Chapman Rd. *Stev* —6D **22**
Chapmans, The. *Hit* —1C **20**
Charlton Rd. *Hit* —3B **20**

Chase Clo. *Arl* —1A **4**
Chase Hill Rd. *Arl* —3A **4**
Chase, The. *Arl* —3A **4**
Chasten Hill. *Let* —4D **10**
Chatsworth Ct. *Stev* —2D **30**
Chatterton. *Let* —6H **11**
Chaucer Way. *Hit* —5G **15**
Chauncy Gdns. *Bald* —2F **13**
Chauncy Ho. *Stev* —3G **27**
Chauncy Rd. *Stev* —3G **27**
Chells La. *Stev* —2C **28**
    (in two parts)
Chells Way. *Stev* —2A **28**
Chepstow Clo. *Stev* —1B **28**
Chequers Bri. Rd. *Stev* —3E **27**
Chequers Clo. *Stot* —3G **5**
Cherry Tree Clo. *Arl* —5A **4**
Cherry Tree Rise. *Walk* —1H **29**
Cherry Trees. *L Ston* —6D **2**
Chertsey Rise. *Stev* —5C **28**
Chester Rd. *Stev* —6A **24**
Chestnut Av. *Henl* —6D **2**
Chestnut Ct. *Hit* —5B **14**
Chestnut Wlk. *Stev* —6F **23**
Chiltern Pl. *Henl* —1E **3**
Chiltern Rd. *Bald* —5D **12**
Chiltern Rd. *Hit* —6E **15**
Chilterns, The. *Hit* —1E **21**
Chiltern View. *Let* —6D **10**
Chivers Bank. *Bald* —4C **13**
Cholwell Rd. *Stev* —6C **28**
Chouler Gdns. *Stev* —5E **23**
Christie Rd. *Stev* —4C **28**
Church End. *Arl* —1A **4**
Church End. *Walk* —5H **25**
Churchgate. *Hit* —1C **20**
Church Grn. *Gt Wym* —1A **22**
Church La. *Arl* —1A **4**
Church La. *W'ton* —5D **18**
Church La. *Stev* —2E **27**
Church La. *W'ian* —2A **4**
Church Path. *Ickl* —1C **14**
Church Path. *L Wym* —4B **22**
Church Rd. *Stot* —3F **5**
Church St. *Bald* —2C **12**
Church Yd. *Hit* —6C **14**
Churchyard Wlk. *Hit* —6C **14**
Clare Cres. *Bald* —5C **12**
Claymore Dri. *Ickl* —6H **9**
Claymores. *Stev* —3G **27**
Cleviscroft. *Stev* —5G **27**
Clifton Gdns. *Bald* —3D **12**
Clifton Rd. *Henl* —1E **3**
Cloister Lawn. *Let* —1B **16**
Cloisters Rd. *Let* —1B **16**
Close, The. *Bald* —4C **12**
Close, The. *Stev* —6E **23**
Clothall Rd. *Bald* —3D **12**
Clovelly Way. *Stev* —2C **26**
Coach Dri. *Hit* —2D **20**
Coachman's La. *Bald* —3B **12**
Codicote Ho. *Stev* —6E **23**
    (off Coreys Mill La.)
Coleridge Clo. *Hit* —5F **15**
Colestrete. *Stev* —5H **27**
Colestrete Clo. *Stev* —4A **28**
Collenswood Rd. *Stev* —5B **28**
Collison Clo. *Hit* —3G **15**
Colonnade, The. *Let* —5F **11**
    (off Eastcheap)
Colts Corner. *Stev* —5B **28**
Columbus Clo. *Stev* —2A **28**

Colwyn Clo.—Grange Rd.

Colwyn Clo. *Stev* —2D **26**
Commerce Way. *Let* —5F **11**
Common Rise. *Hit* —4E **15**
Common Rd. *Stot* —1F **5**
Common View. *Let* —3G **11**
Common View Sq. *Let* —4G **11**
Conifer Clo. *Stev* —2D **28**
Conifer Wlk. *Stev* —2C **28**
Conquest Clo. *Hit* —2D **20**
Constantine Clo. *Stev* —6H **23**
Constantine Pl. *Bald* —2F **13**
Convent Clo. *Hit* —5D **14**
Cook Rd. *Stev* —2B **28**
Cooks Way. *Hit* —4E **15**
Cook Wlk. *Stev* —2E **27**
Cooper Clo. *L Ston* —1A **8**
Coopers Clo. *Stev* —5D **28**
Coopers Field. *Let* —4D **10**
Coppens, The. *Stot* —4G **5**
Coppice Mead. *Stot* —4E **5**
Coreys Mill La. *Stev* —6D **22**
Corner Clo. *Let* —5E **11**
Corton Clo. *Stev* —1D **26**
Cotney Croft. *Stev* —6D **28**
Coventry Clo. *Stev* —6A **24**
Cowslip Hill. *Let* —4E **11**
Cox's Way. *Arl* —3A **4**
Crabbles Clo. *Hit* —6C **14**
Crabtree Dell. *Let* —2E **17**
Crabtree La. *Bald* —5C **12**
Cragside. *Stev* —4G **31**
Cranborne Av. *Hit* —1B **20**
Cranborne Ct. *Stev* —6D **22**
  (off Ingleside Dri.)
Creamery Ct. *Let* —2E **17**
Crescent, The. *Henl* —5D **2**
Crescent, The. *Hit* —4B **14**
Crescent, The. *Let* —6G **11**
Crescent, The. *St I* —4E **21**
Cricketer's Rd. *Arl* —5A **4**
Croft Ct. *Hit* —6C **14**
Croft La. *Let* —2G **11**
Crofts, The. *Stot* —3F **5**
Crompton Rd. *Stev* —3C **26**
Cromwell Grn. *Let* —3H **11**
Cromwell Rd. *Let* —3H **11**
Cromwell Rd. *Stev* —4C **28**
Crossgates. *Stev* —4G **27**
Crossleys. *Let* —1F **11**
Cross St. *Let* —4F **11**
Crow Furlong. *Hit* —1B **20**
Crown Lodge. *Arl* —5A **4**
Cubitt Clo. *Hit* —6G **15**
Curlew Clo. *Let* —2E **11**
Cuttys La. *Stev* —4G **27**

Dacre Rd. *Hit* —5E **15**
Dagnalls. *Let* —3B **16**
Dale Clo. *Hit* —3D **20**
Dale, The. *Let* —6E **11**
Daltry Clo. *Stev* —5E **23**
Daltry Rd. *Stev* —5E **23**
Damask Grn. Rd. *W'ton* —5B **18**
Dancote. *Kneb* —6D **30**
Dane Clo. *Stot* —1F **5**
Dane End Ho. *Stev* —6E **23**
  (off Coreys Mill La.)
Dane End La. *Hit* —3E **25**
Danescroft. *Let* —2F **11**
Danesgate. *Stev* —5F **27**
Daneshill Ho. *Stev* —4F **27**
  (off Danestrete)

Danestrete. *Stev* —4F **27**
Darwin Rd. *Stev* —3B **28**
Davis Cres. *Pir* —6A **8**
Davis Row. *Arl* —5A **4**
Dawlish Clo. *Stev* —4G **31**
Dawson Clo. *Henl* —4E **3**
Deacons Way. *Hit* —4B **14**
Deanscroft. *Kneb* —6D **30**
Deard's End La. *Kneb* —6D **30**
Deards Wood. *Kneb* —6D **30**
Dell, The. *Bald* —5C **12**
Dell, The. *Stev* —4G **27**
Denby. *Let* —1D **16**
Dene La. *Ast* —1H **31**
Denton Rd. *Stev* —5G **27**
Dents Clo. *Let* —2E **17**
Derby Way. *Stev* —1B **28**
Derwent Rd. *Henl* —5D **2**
Desborough Rd. *Hit* —5G **15**
Devonshire Clo. *Stev* —3E **31**
Dewpond Clo. *Stev* —1E **27**
Ditchmore La. *Stev* —3F **27**
Doncaster Clo. *Stev* —1C **28**
Douglas Dri. *Stev* —1A **28**
Dovedale. *Stev* —5B **28**
Dovehouse La. *Stev* —5G **25**
Dower Ct. *Hit* —2D **20**
  (off London Rd.)
Downlands. *Bald* —2E **13**
Downlands. *Stev* —2D **28**
Drakes Dri. *Stev* —2B **28**
Drapers Way. *Stev* —2E **27**
Dryden Cres. *Stev* —1B **28**
Dugdale Ct. *Hit* —4A **14**
Duke's La. *Hit* —5D **14**
Dunham's La. *Let* —4H **11**
Dunlin. *Let* —2E **11**
Dunn Clo. *Stev* —6G **27**
Durham Rd. *Stev* —6A **24**
Dyes La. *Hit* —5A **26**
Dymoke M. *Stev* —1E **27**

Eagle Ct. *Bald* —2C **12**
Earlsmead. *Let* —2B **16**
Eastbourne Av. *Stev* —3C **26**
Eastcheap. *Let* —5F **11**
East Clo. *Hit* —4F **15**
East Clo. *Stev* —4H **27**
Eastern Av. *Henl* —6E **3**
Eastern Way. *Let* —3G **11**
Eastgate. *Stev* —5F **27**
Easthall Ho. *Stev* —6E **23**
  (off Coreys Mill La.)
Eastholm. *Let* —3G **11**
Eastholm Grn. *Let* —3G **11**
E. Reach. *Stev* —1E **31**
East View. *St I* —5G **21**
Edgeworth Clo. *Stev* —2G **31**
Edison Rd. *Stev* —3B **28**
Edmonds Dri. *Stev* —5D **28**
Edwards Ho. *Stev* —3G **27**
Eisenberg Clo. *Bald* —2F **13**
Elbow La. *Stev* —3F **31**
Eldefield. *Let* —4D **10**
Elderberry Dri. *St I* —3E **21**
Elder Way. *Stev* —6F **27**
Elgin Ho. *Hit* —1E **21**
Eliot Rd. *Stev* —3C **28**
Ellice. *Let* —1D **16**
Ellis Av. *Stev* —1G **27**
Elm Pk. *Bald* —3D **12**
Elms Clo. *L Wym* —4A **22**

Elmside Wlk. *Hit* —5C **14**
Elm Wlk. *Stev* —6B **28**
Elmwood Av. *Bald* —4D **12**
Elmwood Ct. *Bald* —3D **12**
Ely Clo. *Stev* —5B **24**
Emperors Ga. *Stev* —1D **28**
Enjakes Clo. *Stev* —4F **31**
Enterprise Cen., The. *Stev*
  —2D **26**
Essex Ho. *Stev* —3D **26**
Essex Rd. *Stev* —1D **26**
Everest Clo. *Arl* —4B **4**
Exchange Rd. *Stev* —4H **27**
Exchange Yd. *Hit* —6C **14**
Exeter Clo. *Stev* —5B **24**
Eynsford Ct. *Hit* —1D **20**

Fairfield Way. *Hit* —5H **15**
Fairlands Way. *Stev* —4E **27**
Fairview Rd. *Stev* —1D **26**
Fakeswell La. *L Ston* —1A **8**
Falcon Clo. *Stev* —1H **31**
Fallowfield. *Stev* —6C **28**
Faraday Rd. *Stev* —3B **28**
Farm Clo. *Let* —2G **11**
Farm Clo. *Stev* —5G **27**
Farriers Clo. *Bald* —2C **12**
Farthing Dri. *Let* —2E **17**
Fawcett Rd. *Stev* —1B **28**
Featherston Rd. *Stev* —6C **28**
Fellowes Way. *Stev* —1D **30**
Fells Clo. *Hit* —5D **14**
Fen End. *Stot* —1F **5**
Ferrier Rd. *Stev* —3C **28**
Fieldfare. *Let* —2E **11**
Fieldfare. *Stev* —6D **28**
Fieldgate Ho. *Stev* —4H **27**
Field La. *Let* —1B **16**
Fifth Av. *Stev* —4A **12**
Filey Clo. *Stev* —2C **26**
Finches, The. *Hit* —6E **15**
Fir Clo. *Stev* —2D **30**
Firecrest. *Let* —2E **11**
Firs Clo. *Hit* —5B **14**
Fishers Grn. *Stev* —6C **22**
  (in two parts)
Fishersgreen La. *Stev* —6D **22**
Fisher's Grn. Rd. *Stev* —1D **26**
Fishponds Rd. *Hit* —5C **14**
Fleetwood. *Let* —1D **16**
Fleetwood Cres. *Stev* —1D **26**
Flinders Clo. *Stev* —4C **28**
Flint Rd. *Let* —3A **12**
Florence St. *Hit* —5D **14**
Folly Clo. *Hit* —2E **21**
Folly Path. *Hit* —1D **20**
Football Clo. *Bald* —2C **12**
Fore St. *W'ton* —4B **18**
Forest Row. *Stev* —2D **30**
Forge Clo. *Hit* —5D **14**
Fortuna Clo. *Stev* —1C **28**
Forum, The. *Stev* —4F **27**
Fosman Clo. *Hit* —5B **14**
Foster Clo. *Stev* —6F **23**
Foster Dri. *Hit* —2E **21**
Fouracres. *Let* —2C **16**
Four Acres. *Stev* —2F **27**
Fourth Av. *Let* —4A **12**
Fovant. *Stev* —6D **22**
Foxfield. *Stev* —6C **28**
Fox Rd. *Stev* —4G **27**
Francis Clo. *Hit* —2E **21**

Francis Clo. *Stot* —3E **5**
Franklin Gdns. *Hit* —4F **15**
Franklin's Rd. *Stev* —1E **27**
Franks Clo. *Henl* —5D **2**
Fraser Corner. *Stev* —2B **28**
Fred Millard Ct. *Stev* —4G **27**
Freeman's Clo. *Hit* —4B **14**
Freewaters Clo. *Ickl* —1C **14**
Frensham Dri. *Hit* —3G **15**
Friars Rd. *W'ton* —4B **18**
Friday Furlong. *Hit* —5A **14**
Frobisher Dri. *Stev* —2B **28**
Froghall La. *Walk* —6G **25**
Frogmore Ho. *Stev* —6E **23**
  (off Coreys Mill La.)
Fry Rd. *Stev* —4C **28**
Fullers Ct. *Let* —4E **11**
Fulton Clo. *Stev* —4E **27**
Furlay Clo. *Let* —4D **10**
Furzedown. *Stev* —5B **28**

Gainsford Cres. *Hit* —3G **15**
Gaping La. *Hit* —6B **14**
Garden Row. *Hit* —5D **14**
Gardens, The. *Bald* —3C **12**
Gardens, The. *Henl* —1F **3**
Gardens, The. *Stot* —3E **5**
Garden Wlk. *Stev* —4G **27**
Garrison Ct. *Hit* —6D **14**
Garth Rd. *Let* —2A **16**
Gates Way. *Stev* —3E **27**
Gaunts Way. *Let* —1F **11**
Gentle Ct. *Bald* —3C **12**
George Clo. *Let* —5F **11**
George Leighton Ct. *Stev*
  —4B **28**
Georgina Ct. *Arl* —6A **4**
Gernon Rd. *Let* —6F **11**
Gernon Wlk. *Let* —6F **11**
Gibbons Way. *Kneb* —6D **30**
Gibson Clo. *Hit* —6F **15**
Gillison Rd. *Hit* —6H **11**
Gipsy La. *Kneb* —6C **30**
Girdle Rd. *Hit* —3E **15**
Girons Clo. *Hit* —1F **21**
Glade, The. *Bald* —4C **12**
Glade, The. *Let* —2B **16**
Gladstone Ct. *Stev* —3E **31**
Glebe Av. *Arl* —2A **4**
Glebe Rd. *Let* —4G **11**
Glebe, The. *Ard* —3B **28**
Glenwood Clo. *Stev* —1G **31**
Gloucester Clo. *Stev* —5G **23**
Glynde, The. *Stev* —3F **31**
Goddard End. *Stev* —2G **31**
Godfrey Clo. *Stev* —4B **28**
Goldon. *Let* —1E **17**
Gonville Cres. *Stev* —1G **31**
Gordian Way. *Stev* —6C **24**
Gorleston Clo. *Stev* —6C **22**
Gorst Clo. *Let* —6E **11**
Gosmore Bygrave. *Hit* —5E **23**
  (off Coreys Mill La.)
Gosmore Ley Clo. *Gos* —4D **20**
Gosmore Rd. *Hit* —2D **20**
Gothic Way. *Arl* —4A **4**
Grace Way. *Stev* —6G **23**
Grammar Sch. Wlk. *Hit* —6C **14**
Granby Rd. *Stev* —5E **23**
Grange Clo. *Hit* —3E **21**
Grange Dri. *Stot* —4F **5**
Grange Rd. *Let* —3F **11**

Granville Rd. *Hit* —4G **15**
Grass Meadows. *Stev* —2D **28**
Graveley Clo. *Stev* —5E **23**
Graveley La. *Gt Wym* —2B **22**
Graveley Rd. *Stev* —4D **22**
Gray's La. *Hit* —6B **14**
Gt. North Rd. *Hinx* —1C **12**
Great N. Rd. *Stev* —5E **23**
Green Acres. *Stev* —2G **31**
Green Clo. *Stev* —1E **31**
Greenfield Av. *Ickl* —1B **14**
Greenfield La. *Ickl* —1C **14**
Greenfield Rd. *Stev* —2G **27**
Green La. *Hit* —4F **15**
Greenlane Ind. Est. *Let* —4A **12**
Greenside Dri. *Hit* —5B **14**
Green St. *Stev* —2E **27**
Green, The. *Newn* —2D **6**
Green, The. *Old K* —6A **30**
Green, The. *Stot* —2F **5**
Greenway. *Let* —3C **16**
Greenway. *Walk* —1H **29**
Greenways. *Stev* —3G **27**
Grenville Way. *Stev* —2E **31**
Gresley Way. *Stev* —6C **24**
Greydells Rd. *Stev* —2G **27**
Grimstone Rd. *L Wym* —3A **22**
Grosvenor Ct. *Stev* —2C **26**
Grosvenor Rd. *Bald* —2D **12**
Grosvenor Rd. W. *Bald* —2D **12**
Grove Ct. *Arl* —2A **4**
Grovelands Av. *Hit* —3F **15**
Groveland Way. *Stot* —4G **5**
Grove Rd. *Hit* —5D **14**
Grove Rd. *Stev* —2E **27**
Gun La. *Kneb* —6D **30**
Gunnels Wood Ind. Est. *Stev* —6F **27**
Gunnels Wood Rd. *Stev* —2D **26**
Gurney's La. *Hol* —4D **8**

Haddon Clo. *Stev* —4G **31**
Hadleigh. *Let* —1D **16**
Hadrians Wlk. *Stev* —1C **28**
Hadrians Way. *Let* —4B **12**
Hadwell Clo. *Stev* —6A **28**
Hall Mead. *Let* —5C **10**
Hallsgreen La. *W'ton* —2D **24**
Hallworth Dri. *Stot* —3E **5**
Halsey Dri. *Hit* —6F **15**
Hambridge Way. *Pir* —2A **14**
Hammerdell. *Let* —4D **10**
Hammond Clo. *Stev* —3F **27**
Hamonte. *Let* —1E **17**
Hampden Clo. *Let* —3H **11**
Hampden Rd. *Hit* —4G **15**
Hampden Rd. *Let* —3H **11**
Hampton Clo. *Stev* —4G **31**
Hanover Clo. *Stev* —2D **30**
Hardwick Clo. *Stev* —4G **31**
Hardy Clo. *Hit* —6G **15**
Harefield. *Stev* —4E **27**
Harkness Ct. *Hit* —4F **15**
(off Franklin Gdns.)
Harkness Way. *Hit* —4G **15**
Harper Ct. *Stev* —4H **27**
Harrison Clo. *Hit* —6D **14**
Harrow Ct. *Stev* —4G **27**
Harrowdene. *Stev* —5C **28**
Harvey Rd. *Stev* —3B **28**
Haselfoot. *Let* —5E **11**
Hastings Clo. *Stev* —1C **26**

Hatch La. *Bald & W'ton* —6D **12**
Hawkfield. *Let* —3E **11**
Hawthorn Clo. *Hit* —1B **20**
Hawthorn Hill. *Let* —4E **11**
Hawthorns, The. *Stev* —5H **27**
Hawthorn Way. *L Ston* —1A **8**
Haycroft Rd. *Stev* —2F **27**
Hayfield. *Stev* —2D **28**
Haygarth. *Kneb* —6E **31**
Hayley Comn. *Stev* —6C **28**
Haymoor. *Let* —4E **11**
Haysman Clo. *Let* —4H **11**
Hazel Ct. *Hit* —6E **15**
Hazel Gro. *Stot* —4E **5**
Hazelmere Rd. *Stev* —3E **31**
Hazelwood Clo. *Hit* —5D **14**
Headingley Clo. *Stev* —1G **27**
Heathfield Rd. *Hit* —4D **14**
Heathmere. *Let* —2F **11**
Hedgerows, The. *Stev* —1D **28**
Hellards Rd. *Stev* —2F **27**
Hellebore Ct. *Stev* —1B **28**
Hensley Clo. *Hit* —1F **21**
Hermitage Rd. *Hit* —6D **14**
Herne Rd. *Stev* —6D **22**
Hertford Ho. *Stev* —3D **26**
Hertford Rd. *Stev* —2D **30**
Hibberts Ct. *Let* —4E **11**
High Av. *Let* —6D **10**
Highbury Rd. *Hit* —1E **21**
Highbush Rd. *Stot* —4E **5**
Highcroft. *Stev* —2D **30**
High Dane. *Hit* —3E **15**
Highfield. *Let* —1H **15**
Highfield Ct. *Stev* —2G **27**
Highover Rd. *Let* —6D **10**
Highover Way. *Hit* —4F **15**
High Plash. *Stev* —4G **27**
High St. Arlesey, *Arl* —5A **4**
High St. Baldock, *Bald* —3D **12**
High St. Church End, *Let* —4A **11**
High St. Gosmore, *Gos* —4D **20**
High St. Graveley, *G'ley* —3E **23**
High St. Henlow, *Henl* —1E **3**
High St. Hitchin, *Hit* —6C **14**
High St. Stevenage, *Stev* —2E **27**
High St. Stotfold, *Stot* —3F **5**
High St. Walkern, *Walk* —1H **29**
High View. *Hit* —1B **20**
Hilary Rise. *Arl* —4B **4**
Hillbrow. *Let* —6D **10**
Hillcrest. *Bald* —4D **12**
Hillcrest. *Stev* —4G **27**
Hillfield Av. *Hit* —3E **15**
Hillgate. *Hit* —2E **15**
Hillmead. *Stev* —3A **28**
Hillpath. *Let* —5H **11**
Hillshot. *Let* —5G **11**
Hillside. *Stev* —4H **27**
Hillside Ho. *Stev* —4H **27**
Hillside Rd. *Up Ston* —6A **2**
Hill Top. *Bald* —4C **12**
Hilton Clo. *Stev* —2D **26**
Hine Way. *Hit* —4A **14**
Hitchin Hill. *Hit* —1D **20**
Hitchin Hill Path. *Hit* —2D **20**
Hitchin Rd. *Arl* —1A **10**
Hitchin Rd. *Gos* —3D **20**
Hitchin Rd. *Henl* —5D **2**
Hitchin Rd. *Hit* —1H **21**
Hitchin Rd. *Let* —2A **16**
Hitchin Rd. *Shef* —1A **2**

Hitchin Rd. *Stev* —5D **22**
Hitchin Rd. *Stot* —6D **4**
Hitchin Rd. *W'ton* —3G **17**
Hitchin St. *Bald* —3C **12**
Hobbs Clo. *Hit* —6F **21**
Hobbs Ct. *Stev* —1A **28**
Holdbrook. *Hit* —6F **15**
Holden Clo. *Hit* —6G **15**
Holders La. *Ast E* —4E **29**
Hollow La. *Hit* —6D **14**
Holly Copse. *Stev* —5H **27**
Holly Leys. *Stev* —3F **31**
Hollyshaws. *Stev* —1F **31**
Holmdale. *Let* —6G **11**
Holroyd Cres. *Bald* —4C **12**
Holwell. *Stev* —5E **23**
(off Coreys Mill La.)
Holwell Rd. *Hol* —4D **8**
Holwell Rd. *Pir* —6A **8**
Home Clo. *Stot* —3F **5**
Homestead Moat. *Stev* —4G **27**
Hoo Rd. *Shef* —2A **2**
Hopton Rd. *Stev* —2C **26**
Hopwell Rd. *Bald* —3B **12**
Horace Gay Gdns. *Let* —6E **11**
Hornbeam Spring. *Kneb* —6D **30**
Hornbeams, The. *Stev* —5B **28**
Hospital Rd. *Arl* —6H **3**
House La. *Arl* —2A **4**
Howard Ct. *Let* —1D **16**
Howard Ga. *Let* —1D **16**
Howards Wood. *Let* —2D **16**
Hudson Rd. *Stev* —2B **28**
Hunters Clo. *Stev* —2D **28**
Hunters Clo. *Stot* —3E **5**
Huntingdon Rd. *Stev* —1D **26**
Hunting Ga. *Hit* —2E **15**
Hurst Clo. *Bald* —2E **13**
Hyatt Ind. Est. *Stev* —4C **26**
Hydean Way. *Stev* —6A **28**
Hyde Av. *Stot* —4E **5**
Hyde Grn. E. *Stev* —6B **28**
Hyde Grn. N. *Stev* —6B **28**
Hyde Grn. S. *Stev* —6B **28**
Hyde, The. *Stev* —6C **28**

Ibberson Way. *Hit* —6E **15**
Ickleford. *Stev* —5E **23**
(off Coreys Mill La.)
Ickleford Rd. *Hit* —4D **14**
Icknield Clo. *Ickl* —1C **14**
Icknield Grn. *Let* —5E **11**
Icknield Way. *Bald* —2C **12**
Icknield Way. *Let* —5C **10**
Icknield Way E. *Bald* —2D **12**
Ingelheim Clo. *Stev* —2F **27**
Ingleside Dri. *Stev* —5C **22**
Inn's Clo. *Stev* —3F **27**
Inskip Cres. *Stev* —4G **27**
Iredale View. *Bald* —2E **13**
Islington Way. *Stev* —6H **23**
Ivatt Ct. *Hit* —6G **15**
Ivel Ct. *Let* —1E **17**
Ivel Rd. *Stev* —2E **27**
Ivel Way. *Bald* —5E **13**
Ivel Way. *Stot* —1F **5**

Jackdaw Clo. *Stev* —5D **28**
Jackman's Pl. *Let* —5H **11**
Jackson St. *Bald* —2C **12**
James Way. *Stev* —2E **27**

Jarden. *Let* —1E **17**
Jay Clo. *Let* —3E **11**
Jennings Clo. *Stev* —6G **27**
Jessop Rd. *Stev* —1A **28**
Jeve Clo. *Bald* —2E **13**
John Barker Pl. *Hit* —4A **14**
Jowitt Ho. *Stev* —3G **27**
Jubilee Cres. *Arl* —1H **9**
Jubilee Memorial Av. *Stev* (in two parts) —1F **27**
Jubilee Rd. *Let* —4A **12**
Jubilee Rd. *Stev* —1D **26**
Jubilee Trade Cen. *Let* —4B **12**
Julia Ga. *Stev* —1C **28**
Julian's Ct. *Stev* —1E **27**
Julian's Rd. *Stev* —1D **26**

Kardwell Clo. *Hit* —1E **21**
Keats Clo. *Stev* —2C **28**
Keats Way. *Hit* —6G **15**
Keiths Wood. *Kneb* —6D **30**
Keller Clo. *Stev* —5B **28**
Kendale Rd. *Hit* —1D **20**
Kenilworth Clo. *Stev* —4G **31**
Kent Pl. *Hit* —5B **14**
Kerr Clo. *Kneb* —6D **30**
Kershaw's Hill. *Hit* —1D **20** (in two parts)
Kessingland Av. *Stev* —6C **22**
Kestrel Clo. *Stev* —1H **31**
Kestrel Wlk. *Let* —2D **16**
Kimberley. *Let* —2F **11**
Kimbolton Cres. *Stev* —3D **30**
Kimpton. *Stev* —5E **23**
(off Coreys Mill La.)
Kingfisher Ct. *Let* —3E **11**
Kingfisher Rise. *Stev* —1H **31**
King George Clo. *Stev* —3G **27**
King Georges Clo. *Hit* —4B **14**
Kingsdown. *Hit* —1F **21**
Kings Hedges. *Hit* —4A **14**
Kings Pk. *Stev* —5E **27**
King's Rd. *Hit* —5D **14**
Kings Walden Rise. *Stev* —2C **28**
Kingsway. *Stot* —2F **5**
Kingsway Gdns. *Stot* —2E **5**
Kingswood Av. *Hit* —4H **15**
Kipling Clo. *Hit* —6G **15**
Kitcheners La. *Walk* —6H **25**
Kitching La. *Stev* —4B **26**
Kite Way. *Let* —3E **11**
Knap Clo. *Stev* —3A **12**
Knights Templar La. *Stev* —1C **28**
Knowle. *Stev* —6D **22**
Knowl Piece. *Hit* —2E **15**
Kristiansand Way. *Let* —3A **12**
Kymswell Rd. *Stev* —5C **28**
Kyrkeby. *Let* —1E **17**

Lacre Way. *Let* —4A **12**
Lamb Meadow. *Arl* —6H **3**
Lammas Mead. *Hit* —3C **14**
Lammas Path. *Stev* —5B **28**
Lammas Way. *Let* —3F **11**
Lancaster Av. *Hit* —5C **14**
Lancaster Clo. *Stev* —6G **23**
Lancaster Rd. *Hit* —5C **14**
Langbridge Clo. *Hit* —2E **21**
Langleigh. *Let* —2F **11**

Langthorne Av.—Oakfields Rd.

Oakhill. *Let* —1F **17**
Oak La. *G'ley* —3D **22**
Oaks Clo. *Hit* —2D **20**
Oaks Cross. *Stev* —2F **31**
Oakwell Clo. *Stev* —4H **31**
Oakwood Clo. *Stev* —1G **31**
Offley Rd. *Hit* —1B **20**
Old Chantry. *Stev* —5C **22**
Old Charlton Rd. *Hit* —1C **20**
Olden Mead. *Let* —2D **16**
Oldfield Farm Rd. *Henl* —5D **2**
Old Hale Way. *Hit* —4C **14**
Old Knebworth La. *Old K*
—5A **30**
Old La. *Kneb* —6E **31**
Old Oak Clo. *Arl* —1A **4**
Old Pk. Rd. *Hit* —6C **14**
Old School Wlk. *Arl* —5A **4**
Old Walled Garden, The. *Stev*
—6E **23**
Oliver's La. *Stot* —3F **5**
Olympus Rd. *Henl* —5D **2**
Openshaw Way. *Let* —5F **11**
Orchard Clo. *Let* —3F **11**
Orchard Clo. *St I* —4D **20**
Orchard Cres. *Stev* —2E **27**
Orchard Rd. *Bald* —2C **12**
Orchard Rd. *Hit* —4F **15**
Orchard Rd. *Stev* —2E **27**
Orchard, The. *Bald* —3D **12**
Orchard Way. *Kneb* —6C **30**
Orchard Way. *Let* —3F **11**
Orchard Way. *L Ston* —6D **2**
Ordelmere. *Let* —2F **11**
Orlando Clo. *Hit* —1E **21**
Orwell View. *Bald* —2F **13**
Osprey Gdns. *Stev* —1H **31**
Osterley Clo. *Stev* —4G **31**
Oughton Clo. *Hit* —5A **14**
Oughtonhead La. *Hit* —5A **14**
Oughton Head Way. *Hit* —5B **14**
Oundle Ct. *Stev* —3G **31**
Oundle Path. *Stev* —3G **31**
Oundle, The. *Stev* —2G **31**
Oval, The. *Henl* —6E **3**
Oval, The. *Stev* —6A **24**
Owen Jones Clo. *Henl* —4E **3**
Oxleys Rd. *Stev* —6B **28**

Pacatian Way. *Stev* —1C **28**
Paddock Clo. *Let* —6G **11**
Paddocks Clo. *Stev* —5B **28**
Paddocks, The. *Stev* —5B **28**
Paddock, The. *Hit* —2E **21**
Page Clo. *Bald* —5D **12**
Palmerston Ct. *Stev* —2B **28**
Pankhurst Cres. *Stev* —4C **28**
Parade, The. *Let* —2F **11**
(off Southfields)
Parishes Mead. *Stev* —5D **28**
Park Clo. *Bald* —4C **12**
Park Clo. *Stev* —2F **31**
Park Cres. *Bald* —4C **12**
Park Dri. *Bald* —4C **12**
Parker Clo. *Let* —1A **16**
Parker's Field. *Stev* —5C **28**
Pk. Farm Clo. *Henl* —1F **3**
Parkfield. *Let* —1F **17**
Park Gdns. *Bald* —4C **12**
Park Ga. *Hit* —1D **20**
Park La. *Old K* —6A **30**
Park Pl. *Stev* —4F **27**

Park St. *Bald* —3C **12**
Park St. *Hit* —1C **20**
Park View. *Stev* —2F **31**
Park Way. *Hit* —1C **20**
Parkway. *Stev* —2E **31**
Parsons Grn. Ind. Est. *Stev*
—5C **24**
Pascal Way. *Let* —3H **11**
Passingham Av. *Hit* —1E **21**
Pasture Rd. *Let* —2A **16**
Pastures, The. *Stev* —1D **28**
Paynes Clo. *Let* —2G **11**
Payne's Pk. *Hit* —6C **14**
Pearsall Clo. *Let* —6H **11**
Pear Tree Clo. *L Ston* —6D **2**
Pear Tree Dell. *Let* —2D **16**
Peartree Way. *Stev* —6A **28**
Pelican Way. *Let* —2F **11**
Pembroke Rd. *Bald* —3D **12**
Penn Rd. *Stev* —4G **27**
Penn Way. *Let* —2D **16**
Pepper All. *Bald* —3D **12**
Peppercorn Wlk. *Hit* —6F **15**
Pepper Ct. *Bald* —3C **12**
Pepsal End. *Stev* —3F **31**
Pepys Way. *Bald* —3C **12**
Periwinkle La. *Hit* —4D **14**
Peters Way. *Kneb* —5D **30**
Petworth Clo. *Stev* —4G **31**
Phipp Wlk. *Hit* —1E **21**
Pilgrims Way. *Stev* —6A **24**
Pinewoods. *Stev* —2D **30**
Pinnocks Clo. *Bald* —4D **12**
Pinnocks La. *Bald* —4D **12**
Pirton Clo. *Hit* —6B **14**
Pirton Rd. *Hit* —1A **20**
Pirton Rd. *Hol* —5C **8**
Pitt Ct. *Stev* —2F **31**
Pixmore Av. *Let* —5H **11**
Pixmore Ind. Est. *Let* —5G **11**
Pixmore Way. *Let* —6F **11**
Pix Rd. *Let* —5G **11**
Pix Rd. *Stot* —4E **5**
Plash Dri. *Stev* —4G **27**
Plum Tree Rd. *L Ston* —6D **2**
Pollard Gdns. *Stev* —1H **27**
Pond Clo. *Stev* —2E **27**
Pondcroft Rd. *Kneb* —6E **31**
Pond La. *Bald* —3C **12**
Pondside. *G'ley* —3E **23**
Poplar Clo. *Hit* —1F **21**
Poplars, The. *Arl* —1A **4**
Poplars, The. *Ickl* —5H **9**
Popple Way. *Stev* —3G **27**
Poppy Mead. *Stev* —5H **27**
Portland Ind. Est. *Arl* —1H **9**
Portman Clo. *Hit* —3B **14**
Portmill La. *Hit* —6D **14**
Potters La. *Stev* —5D **26**
Pound Av. *Stev* —3F **27**
Pound Ct. *Stev* —3F **27**
Prestatyn Clo. *Stev* —2D **26**
Preston Rd. *Gos* —5D **20**
Primary Way. *Arl* —5A **4**
Primett Rd. *Stev* —2E **27**
Primrose Clo. *Arl* —5H **3**
Primrose Ct. *Stev* —2F **27**
Primrose Hill Rd. *Stev* —2F **27**
Primrose La. *Arl* —5H **3**
Prince's St. *Stot* —2F **5**
Priory Ct. *Hit* —2D **20**
Priory Dell. *Stev* —4G **27**
Priory End. *Hit* —2D **20**

Priory La. *L Wym* —4B **22**
Priory View. *L Wym* —3A **22**
Priory Way. *Hit* —3C **20**
Protea Ind. Est. *Let* —5H **11**
Providence Gro. *Stev* —1G **27**
Providence Way. *Bald* —4D **12**
Pryor Rd. *Bald* —4D **12**
Pryor Way. *Let* —1F **17**
Pullman Dri. *Hit* —6F **15**
Pulter's Way. *Hit* —1E **21**
Purcell Ct. *Stev* —1E **27**
Purwell La. *Hit* —5G **15**
Pyms Clo. *Let* —3H **11**

Quadrant, The. *Let* —5F **11**
Quadrant, The. *Stev* —4F **27**
Queen Anne's Clo. *Stot* —4F **5**
Queen St. *Hit* —1D **20**
Queen St. *Stot* —4G **5**
Queensway. *Stev* —4F **27**
Queenswood Dri. *Hit* —4G **15**
Quills. *Let* —1F **17**
Quinn Webb Clo. *Let* —6A **12**

Raban Clo. *Stev* —2G **31**
Raban Ct. *Bald* —2D **12**
Radburn Corner. *Let* —6A **12**
Radburn Way. *Let* —1D **16**
Radcliffe Rd. *Hit* —5E **15**
Radwell La. *Radw* —5A **6**
Raleigh Cres. *Stev* —2A **28**
Rally, The. *Arl* —2A **4**
(in two parts)
Ramerick Gdns. *Arl* —1H **9**
Ramsdell. *Stev* —4H **27**
Randals Hill. *Stev* —6B **28**
Rand's Meadow. *Hol* —4D **8**
Ransom Clo. *Hit* —3D **20**
Ranworth Av. *Stev* —4G **31**
Rectory La. *Stev* —6E **23**
Redcar Dri. *Stev* —3C **26**
Redhill Rd. *Hit* —5A **14**
Redhoods Way. *Let* —4E **11**
Redhoods Way W. *Let* —5E **11**
Redwing Clo. *Stev* —5C **28**
Regal Ct. *Hit* —6D **14**
Regent Ct. *Stev* —2F **5**
Regent St. *Stot* —3F **5**
Reynolds. *Let* —2F **11**
Rhee Spring. *Bald* —2F **13**
Rickyard, The. *Let* —2A **12**
Riddell Gdns. *Bald* —3D **12**
Riddy Hill Clo. *Hit* —1E **21**
Riddy La. *Hit* —1E **21**
Ridge Av. *Let* —5G **11**
Ridge Rd. *Let* —5G **11**
Ridge, The. *Let* —5G **11**
Ridgeway. *Stev* —4H **27**
Ridgeway, The. *Hit* —1B **20**
Ridings, The. *Stev* —6B **28**
Ridlins End. *Stev* —1G **31**
Ringtale Pl. *Bald* —2F **13**
Ripon Rd. *Stev* —5H **23**
Rise, The. *Bald* —4C **12**
River Ct. *Ickl* —1D **14**
River Mead. *Hit* —3A **14**
Rivett Clo. *Bald* —2E **13**
Roaring Meg Retail & Leisure Pk.
Stev —6G **27**
Robert Humbert Ho. *Let* —6G **11**
Robert Tebbutt Ct. *Hit* —1C **20**

Rockingham Way. *Stev* —6G **27**
Roebuck Ct. *Stev* —2D **30**
Roebuck Ga. *Stev* —2D **30**
Roebuck Retail Pk. *Stev* —1C **30**
Roe Clo. *Stot* —4E **5**
Roman Heights. *Stev* —6C **24**
Roman La. *Bald* —3D **12**
Romany Clo. *Let* —5C **10**
Rookes Clo. *Let* —2D **16**
Rook Tree Clo. *Stot* —3F **5**
Rook Tree La. *Stot* —2F **5**
Rookwood Dri. *Stev* —2F **31**
Rooky Yd. *Stev* —2E **27**
Rosemont Clo. *Let* —5E **11**
Ross Ct. *Stev* —2B **28**
Round Mead. *Stev* —6D **28**
Roundwood Clo. *Hit* —3G **15**
Rowan Clo. *W'ton* —5B **18**
Rowan Cres. *Let* —5E **11**
Rowan Cres. *Stev* —2F **27**
Rowan Gro. *St I* —3E **21**
Rowans, The. *Bald* —4C **12**
Rowland Rd. *Stev* —5H **27**
Rowland Way. *Let* —5F **11**
Royal Oak La. *Pir* —6A **8**
Royston Rd. *Bald* —2D **12**
Ruckles Clo. *Stev* —4G **27**
Rudd Clo. *Stev* —6B **28**
Rudham Gro. *Let* —2E **17**
Rundells. *Let* —1F **17**
Runnalow. *Let* —4D **10**
Runswick Ct. *Stev* —2C **26**
Rushby Mead. *Let* —5G **11**
Rushby Pl. *Let* —6G **11**
Rushby Wlk. *Let* —5G **11**
Ruskin Clo. *Hit* —6G **15**
Russell Clo. *Stev* —1F **31**
Russell's Slip. *Hit* —1B **20**
Rutherford Clo. *Stev* —3C **26**
Ryder Av. *Ickl* —2B **14**
Ryder Way. *Ickl* —2B **14**
Ryecroft. *Stev* —2G **27**
Rye Gdns. *Bald* —2F **13**
Ryley Clo. *Henl* —5D **2**

Saffron Clo. *Arl* —2A **4**
Saffron Hill. *Let* —5E **11**
St Albans Dri. *Stev* —6G **23**
St Albans Link. *Stev* —6G **23**
St Andrews Dri. *Stev* —5H **23**
St Andrew's Pl. *Hit* —6D **14**
St Anne's Rd. *Hit* —5D **14**
St Davids Clo. *Stev* —4H **23**
St Elmo Ct. *Hit* —2D **20**
St Faiths Clo. *Hit* —4F **15**
St George's Way. *Stev* —4F **27**
St John's Path. *Hit* —1D **20**
St John's Rd. *Arl* —5A **4**
St John's Rd. *Hit* —2D **20**
St Katharines Clo. *Ickl* —2B **14**
St Margarets. *Stev* —1D **30**
St Mark's Clo. *Hit* —4B **14**
St Martin's Rd. *Kneb* —6E **31**
St Mary's Av. *Stot* —3F **5**
St Mary's Clo. *Ast* —1H **31**
St Mary's Clo. *Let* —3B **16**
St Mary's Way. *Bald* —5C **12**
St Michaels Clo. *Stev* —1B **28**
St Michael's Mt. *Hit* —5E **15**
St Michaels Rd. *Hit* —5F **15**
St Olives. *Stot* —3E **5**
St Pauls Ct. *Stev* —2D **30**

St Peter's Av.—Watton Rd.

St Peter's Av. *Arl* —2A **4**
Sale Dri. *Clot C* —2D **12**
Salisbury Rd. *Bald* —2C **12**
Salisbury Rd. *Stev* —5A **24**
Sanderling Clo. *Let* —3E **11**
Sandover Clo. *Hit* —1F **21**
Sandown Rd. *Stev* —6C **24**
Sandy Gro. *Hit* —1D **20**
Sanfoine Clo. *Hit* —5G **15**
Saunders Clo. *Let* —4A **12**
Sax Ho. *Let* —2E **11**
Saxon Av. *Stot* —1F **5**
Saxon Clo. *Let* —2F **11**
Saxon Way. *Bald* —2F **13**
Sayer Way. *Kneb* —6D **30**
Scarborough Av. *Stev* —1C **26**
School Clo. *Stev* —6B **28**
Schoolfields. *Let* —6A **12**
School La. *Ast* —6E **29**
School La. *W'ton* —4C **18**
School Wlk. *Let* —5H **11**
Scott Rd. *Stev* —3B **28**
Second Av. *Let* —5A **12**
Seebohm Clo. *Hit* —4A **14**
Sefton Rd. *Stev* —6B **24**
Senate Pl. *Stev* —4B **24**
Shackledell. *Stev* —1D **30**
Shackleton Spring. *Stev* —6A **28**
Shaftesbury Ct. *Stev* —5G **27**
Shaftesbury Ind. Est. *Let*
    —4H **11**
Sheafgreen La. *Stev* —4D **28**
Shearwater Clo. *Stev* —5D **28**
Sheepcroft Hill. *Stev* —6D **28**
Shelley Clo. *Hit* —6G **15**
Shephall Grn. *Stev* —1E **31**
Shephall Grn La. *Stev* —1F **31**
Shephall La. *Stev* —2D **30**
Shephall View. *Stev* —4A **28**
Shephall Way. *Stev* —5B **28**
Shepherds La. *Stev* —3B **26**
Shepherds Mead. *Hit* —3C **14**
Sheringham Av. *Stev* —6D **22**
Sherwood. *Let* —3F **11**
Shillington Rd. *Up Ston* —1A **8**
Shirley Clo. *Stev* —1B **28**
Shoreham Clo. *Stev* —1C **26**
Short La. *Stev* —5E **29**
Shott La. *Let* —5G **11**
Siccut Rd. *L Wym* —3A **22**
Siddons Rd. *Stev* —3C **28**
Silam Rd. *Stev* —4G **27**
Silkin Ct. *Stev* —6D **28**
Silkin Way. *Stev* —4F **27**
Silverbirch Av. *Stev* —1F **5**
Simpson Dri. *Bald* —3D **12**
Simpsons Ct. *Bald* —3D **12**
Sinfield Clo. *Stev* —4A **28**
Sish Clo. *Stev* —3F **27**
    (in two parts)
Sish La. *Stev* —3F **27**
Sisson Clo. *Stev* —1G **31**
Six Hills Way. *Stev* —5E **27**
Sixth Av. *Let* —5A **12**
Skegness Rd. *Stev* —1C **26**
Skipton Clo. *Stev* —3D **30**
Skylark Corner. *Stev* —6D **28**
Sleaps Hyde. *Stev* —2G **31**
Slip La. *Old K* —6A **30**
Sloan Ct. *Stev* —3H **27**
Snailswell La. *Ickl* —6G **9**
Snipe, The. *W'ton* —4B **18**
Sollershott E. *Let* —1B **16**

Sollershott Hall. *Let* —1B **16**
Sollershott W. *Let* —1A **16**
Sorrel Garth. *Hit* —1E **21**
Souberie Av. *Let* —6F **11**
South Clo. *Bald* —4D **12**
Southend Clo. *Stev* —2F **27**
Southern Av. *Henl* —6D **2**
Southern Way. *Let* —2E **11**
Southfields. *Let* —2F **11**
Southgate. *Stev* —5F **27**
South Hill Clo. *Hit* —1E **21**
South Pl. *Hit* —5B **14**
South Rd. *Bald* —4D **12**
Southsea Rd. *Stev* —1D **26**
South View. *Let* —6F **11**
Southwark Clo. *Stev* —6B **24**
Sparhawke. *Let* —2G **11**
Sparrow Dri. *Stev* —5D **28**
Speke Clo. *Stev* —4D **28**
Spellbrooke. *Hit* —5B **14**
Sperberry Hill. *St I* —5F **21**
Spinney, The. *Bald* —4C **12**
Spinney, The. *Stev* —2D **28**
Spreckley Clo. *Henl* —4D **2**
Spring Dri. *Stev* —3E **31**
Spring Rd. *Let* —5E **11**
Springshott. *Let* —6E **11**
Spurrs Clo. *Hit* —6F **15**
Spur, The. *Stev* —5G **27**
Standhill Clo. *Hit* —1D **20**
Standhill Rd. *Hit* —1D **20**
Stane Field. *Let* —2D **16**
Stane St. *Bald* —2E **13**
Stanley Rd. *Stev* —1B **28**
Stanmore Rd. *Stev* —2E **27**
Station App. *Hit* —5E **15**
Station App. *Kneb* —6D **30**
Station Pl. *Let* —5F **11**
Station Rd. *Arl* —5A **4**
Station Rd. *Kneb* —6D **30**
Station Rd. *Let* —5F **11**
Station Rd. *L Ston* —1A **8**
Station Rd. *Odsey* —2D **12**
Station Way. *Let* —5E **11**
Sterling Ct. *Stev* —5F **27**
Stevenage Rd. *Hit & L Wym*
    —2D **20**
Stevenage Rd. *Stev & Kneb*
    —3D **30**
Stevenage Rd. *St I* —4F **21**
Stevenage Rd. *Walk* —1E **29**
Stewart Dri. *Hit* —6F **15**
Stirling Clo. *Hit* —6G **15**
Stirling Clo. *Stev* —4H **31**
Stobarts Clo. *Kneb* —5D **30**
Stockens Dell. *Kneb* —6D **30**
Stonecroft. *Kneb* —6D **30**
Stoneley. *Let* —2F **11**
Stonnells Clo. *Let* —3F **11**
Stony Croft. *Stev* —3G **27**
Storehouse La. *Hit* —1D **20**
Stormont Rd. *Hit* —4D **14**
Stotfold Rd. *Arl* —1A **4**
Stotfold Rd. *Bald* —1H **5**
Stotfold Rd. *Let* —4C **10**
Strafford Ct. *Old K* —6E **31**
Strathmore Av. *Hit* —4C **14**
Straw Plait W. *Arl* —5H **3**
Sturgeon's Way. *Hit* —3F **15**
Sturrock Way. *Hit* —1G **21**
Such Clo. *Let* —4H **11**
Sunnyside Rd. *Hit* —2E **21**
Sun St. *Bald* —3C **12**

Sun St. *Hit* —1C **20**
Sutcliffe Clo. *Stev* —1A **28**
Swangley's La. *Kneb* —6E **31**
Swanstand. *Let* —1F **17**
Sweyns Mead. *Stev* —2C **28**
Swift Clo. *Let* —3E **11**
Swinburne Av. *Hit* —4A **14**
Swingate. *Stev* —4F **27**
Sycamore Clo. *St I* —3E **21**
Sycamores, The. *Bald* —3C **12**
Symonds Grn. La. *Stev* —3C **26**
Symonds Grn. Rd. *Stev* —2C **26**
    (in two parts)
Symonds Rd. *Hit* —5B **14**

Tabbs Clo. *Let* —4H **11**
Tabor Ct. *Let* —4D **10**
Tacitus Clo. *Stev* —1C **28**
Talbot St. *Hit* —5B **14**
Talbot Way. *Let* —2H **11**
Talisman St. *Hit* —6G **15**
Tall Trees. *St I* —3E **21**
Tarrant. *Stev* —6D **22**
Tatlers La. *Ast E* —4D **28**
Tatmorehills La. *Hit* —6A **20**
Taylor's Hill. *Hit* —1D **20**
Taylor's Rd. *Stot* —1F **5**
Taywood Clo. *Stev* —1F **31**
Tedder Av. *Henl* —4D **2**
Telford Av. *Stev* —3B **28**
Templar Av. *Bald* —5D **12**
Temple Clo. *Hit* —3A **20**
Temple Ct. *Bald* —5D **12**
Tene, The. *Bald* —3D **12**
Tennyson Av. *Hit* —1G **21**
Thatchers End. *Hit* —5H **15**
Third Av. *Let* —4A **12**
Thistley La. *Gos* —5D **20**
Thornbury Clo. *Stev* —3E **31**
Three Star Caravan Pk. *L Ston*
    —6C **2**
Thristers Clo. *Let* —2D **16**
Thurlow Clo. *Stev* —5F **23**
Thurnall Clo. *Bald* —3D **12**
Tilehouse St. *Hit* —1C **20**
Tillers Link. *Stev* —1E **31**
Times Clo. *Hit* —3B **14**
Tintern Clo. *Stev* —4E **31**
Tippet Ct. *Stev* —6F **27**
Titmus Clo. *Stev* —3G **27**
Torquay Cres. *Stev* —2D **26**
Totts La. *Walk* —6H **25**
Tower Clo. *L Wym* —4B **22**
Towers Rd. *Stev* —5F **27**
Towers, The. *Stev* —5F **27**
Townley. *Let* —1F **17**
Town Sq. *Stev* —4F **27**
Trafford Clo. *Stev* —6G **23**
Trajan Ga. *Stev* —6D **24**
Tramerne Clo. *Hit* —2D **20**
Trent Clo. *Stev* —1G **27**
Trevor Rd. *Hit* —5E **15**
Triangle, The. *Hit* —1D **20**
Trigg Ter. *Stev* —3G **27**
Trinity Pl. *Stev* —3F **27**
Trinity Rd. *Stev* —3E **27**
Trinity Rd. *Stot* —2F **5**
Tristram Rd. *Hit* —3E **15**
Truemans Rd. *Hit* —3B **14**
Trumper Rd. *Stev* —6G **23**
Truro Ct. *Stev* —5H **23**
Tudor Clo. *Stev* —6E **23**

Tudor Ct. *Hit* —1B **20**
Turf La. *G'ley* —3D **22**
Turner Clo. *Stev* —5E **23**
Turnpike La. *Ickl* —2B **14**
Turpin's Rise. *Stev* —2D **30**
Turpin's Way. *Bald* —4D **12**
Twinwoods. *Stev* —5H **27**
Twitchell, The. *Bald* —3D **12**
    (in two parts)
Twitchell, The. *Stev* —2F **27**
Tye End. *Stev* —3F **31**

Underwood Rd. *Stev* —5E **23**
Unwin Clo. *Let* —1A **16**
Unwin Pl. *Stev* —6C **28**
Unwin Rd. *Stev* —6C **28**
Uplands. *Stev* —1D **28**
Uplands Av. *Hit* —1F **21**
Up. Maylins. *Let* —2E **17**
Upper Sean. *Stev* —6A **28**
Upperstone Clo. *Stot* —3F **5**
Up. Tilehouse St. *Hit* —6C **14**

Valerian Way. *Stev* —6D **24**
Vallansgate. *Stev* —2F **31**
Valley Rd. *Let* —4D **10**
Valley Way. *Stev* —1D **30**
Vardon Rd. *Stev* —1G **27**
Vaughan Rd. *Stot* —3E **5**
Verity Way. *Stev* —6A **24**
Verulam Rd. *Hit* —5D **14**
Vicarage Clo. *Arl* —1A **4**
Victoria Clo. *Stev* —2F **27**
Victoria Dri. *Stot* —4G **5**
Victoria Way. *Hit* —5B **14**
View Point. *Stev* —4C **26**
Vincent. *Let* —1E **17**
Vines, The. *Stot* —3E **5**
Vinters Av. *Stev* —4H **27**

Walden End. *Stev* —5G **27**
Walkern Rd. *B'tn* —6G **29**
Walkern Rd. *Stev* —2E **27**
Walkers Ct. Bald —3D **12**
    (off High St. Baldock,)
Wallace Way. *Hit* —3E **15**
Wallington Rd. *Bald* —3E **13**
Walnut Av. *Bald* —4E **13**
Walnut Clo. *Hit* —1E **21**
Walnut Clo. *Stot* —3F **5**
Walnut Tree Clo. *Stev* —5D **28**
Walnut Way. *Ickl* —1C **14**
Walpole Ct. *Stev* —4G **31**
Walsham Clo. *Stev* —4G **31**
Walsh Clo. *Hit* —6B **14**
Walsworth Rd. *Hit* —6D **14**
Waltham Rd. *Hit* —1D **20**
Warners Clo. *Stev* —6B **28**
Warren Clo. *Let* —4D **10**
Warren La. *Clot* —4E **13**
Warren Rd. *Clot* —6H **13**
Warrensgreen La. *W'ton*
    —2C **24**
Warwick Rd. *Stev* —3C **28**
Watercress Clo. *Stev* —4D **28**
Waterdell La. *St I* —4D **20**
Water La. *Hit* —4D **14**
Waterloo La. *Hol* —5C **8**
Waterlow M. *L Wym* —4A **22**
Watton Rd. *Kneb* —6E **31**

Waverley Clo. *Stev* —3E **31**
Waysbrook. *Let* —1D **16**
Waysmeet. *Let* —1D **16**
Webb Clo. *Let* —6A **12**
Webb Rise. *Stev* —2H **27**
Wedgewood Rd. *Hit* —6F **15**
Wedgewood Ct. *Stev* —5C **24**
Wedgewood Pk. *Stev* —5C **24**
Wedgewood Way. *Stev* —6B **24**
Wedmore Rd. *Hit* —1E **21**
Wedon Way. *Byg* —5G **7**
Weedon Clo. *Henl* —4E **3**
Wellfield Ct. *Stev* —6B **24**
Wellingham Av. *Hit* —4B **14**
Wellington Rd. *Stev* —4C **28**
Wenham Ct. *Walk* —1H **29**
Wesley Clo. *Arl* —5A **4**
West All. *Hit* —6C **14**
West Av. *Bald* —3C **12**
Westbury Clo. *Hit* —5B **14**
Westbury Pl. *Let* —6E **11**
West Clo. *Hit* —4F **15**
West Clo. *Stev* —4H **27**
West Dri. *Arl* —5A **4**
Western Av. *Henl* —6D **2**
Western Clo. *Let* —2E **11**
Western Way. *Let* —3E **11**
Westfield Clo. *Hit* —6B **14**
Westfield La. *Hit* —6B **14**
Westgate. *Stev* —4F **27**
W. Hill. *Hit* —6B **14**
Westholm. *Let* —3F **11**
Westland Rd. *Kneb* —6D **30**
West La. *Pir* —6A **8**
Westmill La. *Hit* —3A **14**
Westmill Rd. *Hit* —3A **14**

Weston Rd. *Stev* —1G **27**
  (in three parts)
Weston Way. *Bald* —3C **12**
W. Reach. *Stev* —1D **30**
West View. *Let* —1H **15**
Westwood Av. *Hit* —1E **21**
Wetherby Clo. *Stev* —1C **28**
Wheat Hill. *Let* —4E **11**
Wheatlands. *Stev* —2C **28**
Whinbush Gro. *Hit* —5D **14**
Whinbush Rd. *Hit* —6D **14**
Whitechurch Gdns. *Let* —2E **17**
White Crofts. *Stot* —2E **5**
Whitegale Clo. *Hit* —1E **21**
Whitehicks. *Let* —2G **11**
White Hill. *Cro* —4H **25**
Whitehill Clo. *Hit* —2E **21**
Whitehill Rd. *Hit* —1E **21**
Whitehorse St. *Bald* —3D **12**
Whitehurst Av. *Hit* —4D **14**
Whitesmead Rd. *Stev* —2F **27**
Whitethorn La. *Let* —2C **16**
Whiteway. *Let* —1E **17**
Whiteway, The. *Stev* —2C **28**
Whitney Dri. *Stev* —6E **23**
Whitney Wood. *Stev* —6E **23**
Whittington La. *Stev* —5G **27**
Whittle Clo. *Henl* —5D **2**
Whitworth Jones Av. *Henl*
  —4E **3**
Whitworth Rd. *Stev* —4B **24**
Whomerley Rd. *Stev* —5G **27**
Wigram Way. *Stev* —5B **28**
Wilbury Clo. *Let* —4D **10**
Wilbury Hills Rd. *Let* —5C **10**
Wilbury Rd. *Let* —4D **10**

Wilbury Way. *Hit* —2E **15**
Wildwood La. *Stev* —5H **27**
William Pl. *Stev* —6A **28**
Willian Chu. Rd. *W'ian* —3C **16**
Willian Rd. *W'ian* —4B **16**
Willian Way. *Bald* —5C **12**
Willian Way. *Let* —1C **16**
Willoughby Way. *Hit* —1E **21**
Willow La. *Hit* —1B **20**
Willow La. *St I* —5F **21**
Willows Link. *Stev* —3E **31**
Willows, The. *Hit* —2E **21**
Willows, The. *Stev* —2E **31**
Wilshere Cres. *Hit* —5G **15**
Wilson Clo. *Stev* —6F **23**
Wilton Rd. *Hit* —4C **14**
Wiltron Ho. *Stev* —3D **26**
Wiltshire Rd. *Stev* —5A **28**
Winchester Clo. *Stev* —5B **24**
Windmill Hill. *Hit* —6D **14**
Windmill La. *Hit* —2A **20**
Windsor Clo. *Stev* —4F **31**
Winston Clo. *Hit* —6B **14**
Winters La. *Walk* —6H **25**
Wisden Ct. *Stev* —6H **23**
Wisden Rd. *Stev* —6H **23**
Witter Av. *Ickl* —1C **14**
Woburn Clo. *Stev* —4G **31**
Woodcock Rd. *Stev* —1H **31**
Woodcote Ho. *Hit* —6D **14**
  (off Queen St.)
*Woodcroft. Hit —1C **20***
  (off Wratten Rd. E.)
Wood Dri. *Stev* —1F **31**
Woodfield Rd. *Stev* —6E **23**
Woodhurst. *Let* —3F **11**

Woodlands Mead. *W'ton* —5B **18**
Woodland Way. *Bald* —5D **12**
Woodland Way. *Stev* —2D **30**
Woodside Pk. Ind. Est. *Let*
  —4H **11**
Woolgrove Ct. *Hit* —4F **15**
Woolgrove Rd. *Hit* —4E **15**
Woolners Way. *Stev* —3E **27**
Woolston Av. *Let* —1C **16**
Works Rd. *Let* —4H **11**
Worsdell Way. *Hit* —6F **15**
Wortham Way. *Stev* —1F **31**
Wratten Clo. *Hit* —1C **20**
Wratten Rd. E. *Hit* —1C **20**
Wratten Rd. W. *Hit* —1B **20**
Wren Clo. *Stev* —3B **28**
Wrights Meadow. *Walk* —1H **29**
Wyatt Clo. *Ickl* —1B **14**
Wychdell. *Stev* —3G **31**
Wycklond Clo. *Stot* —3E **5**
Wymondley Clo. *Hit* —1E **21**
Wymondley Rd. *Hit* —1E **21**
Wymondley Rd. *Will* —5B **16**
*Wynd Arc., The. Let —5F **11***
  (off Openshaw Way)
Wynn Clo. *Bald* —2E **13**
Wyrley Dell. *Let* —2C **16**
Wysells Ct. *Let* —4D **10**

Yardley. *Let* —1E **17**
Yarmouth Rd. *Stev* —2C **26**
Yeomanry Dri. *Bald* —2E **13**
Yeomans Dri. *Ast* —1H **31**
York Rd. *Hit* —5C **14**
York Rd. *Stev* —6H **23**